MR. NAVIDAD

Colección MR. MEN

<table>
<tr><td>1. Mr. Cosquillas</td><td>5. Mr. Dormilón</td><td>9. Mr. Alto</td></tr>
<tr><td>2. Mr. Fisgón</td><td>6. Mr. Grosero</td><td>10. Mr. Pequeño</td></tr>
<tr><td>3. Mr. Feliz</td><td>7. Mr. Pupas</td><td>11. Mr. Divertido</td></tr>
<tr><td>4. Mr. Fortachón</td><td>8. Mr. Glotón</td><td>12. Mr. Desastroso</td></tr>
</table>

MR. MEN   LITTLE MISS

Mr. Men™ Little Miss™ © 2014 THOIP (a SANRIO company).

Mr. Christmas ©2002 THOIP (a SANRIO company). All rights reserved.

Mr. Navidad ©2014 THOIP (a SANRIO company). All rights reserved.

2014, Ediciones del Laberinto por la traducción al español bajo licencia de una empresa del grupo SANRIO.
Todos los derechos reservados

Mr. Christmas
Traducción: ©Ediciones del Laberinto S.L.

ISBN: 978-84-8483-758-9
Depósito legal: M-28472-2014
Imprime: Exce Consulting Group.
Printed in Spain

EDICIONES DEL LABERINTO, S. L.
www.edicioneslaberinto.es
www.mrmen.com

MR. NAVIDAD

Roger Hargreaves

Ilustrado por
Adam Hargreaves

LABERINTO 25 ANIVERSARIO

Mr. Navidad vive en el Polo Sur. Una fría mañana, estaba desayunando en su cabaña cubierta de nieve. ¿Adivinas lo que tomaba? ¡Pudin de Navidad, por supuesto!

Cuando estaba llevándose a la boca el último pedazo de pudin recubierto de mermelada de ciruela, llamaron a la puerta de Villa Muérdago. Era el cartero.

«Buenos días, Percy», saludó Mr. Navidad. «¡Pasa a calentarte!»

«Con mucho gusto», respondió Percy. «Tengo una carta para ti», dijo él. «Y tiene un matasellos del Polo Norte, supongo que es de tu tío.»

Todo el mundo en el Polo Sur conoce al famoso tío de Mr. Navidad que vive en el Polo Norte.

«El viejo Papá Noel», rio Mr. Navidad. «¡No he sabido nada de él desde hace mucho tiempo!»

Mr. Navidad abrió el sobre y comenzó a leer la carta:

Querido sobrino,

Espero que todo esté bien por allí abajo. Aquí estamos tan atareados como siempre con los preparativos de Navidad. Esta es la razón por la que te escribo.

Cada año encuentro más dificultades para llevar los regalos a todos los Mr. Men. ¡Sois ya tantos! Y me estaba preguntando si, este año, como un gran favor hacia tu viejo tío, podrías reemplazarme. Espero que me puedas ayudar.

Tu tío que te quiere.

Esa misma noche Mr. Navidad hizo una llamada de larga distancia al Polo Norte.

«¡Papá Noel al aparato!», contestó una voz profunda al otro lado del teléfono.

«Hola tío», saludó Mr. Navidad. «Tu carta llegó esta mañana, ¡estaré encantado de ayudarte!»

«¡Qué buenas noticias!», retumbó la voz. «Si tienes papel y lápiz, te daré los nombres y direcciones de los Mr. Men.»

«No tenía ni idea de que hubiera tantos», contestó Mr. Navidad.

«¿Crees que te las podrás apañar?», preguntó su famoso tío. «Te prestaré un par de renos si quieres.»

«Oh, no», contestó Mr. Navidad. «Me las podré arreglar.»

Mr. Navidad leyó la lista mientras cenaba.

«Esto me va a mantener ocupado», se dijo. «Lo primero es lo primero. ¡Y lo primero que necesito es un medio de transporte!»

«Y lo primero que tengo que hacer si necesito transporte», pensó, «¡es hablar con el Mago!»

¡El Mago de las Nieves!

A la mañana siguiente, Mr. Navidad fue a ver al Mago.

Había estado nevando otra vez durante la noche, y estaba sin aliento cuando llegó al castillo del Mago de las Nieves.

Era el castillo más grande que Mr. Navidad había visto nunca.

Eso sí, tenía que ser grande, porque el Mago de las Nieves era un gigante.

Y allí, ni se sabe cuántas veces más alto que Mr. Navidad, estaba la figura del Mago de las Nieves.

«¡Navidad!», bramó. «¡Qué bueno verte! ¡Ven! ¡Sígueme!»

«¿Qué te pasa?», preguntó el Mago.

Mr. Navidad le contó al Mago cómo le había pedido ayuda su famoso tío, y todo sobre los Mr. Men y dónde vivían, y todo lo relativo al hecho de que necesitaba transporte.

¡Transporte especial!

«Puedo ayudarte», dijo el Mago finalmente. «¡Pero no puedo hacer nada hasta mediados de la semana que viene!»

«Muchas gracias» contestó Mr. Navidad, mientras se iba.

La semana siguiente Mr. Navidad regresó al enorme castillo.

El Mago lo llevó a su cocina, lo alzó sobre su enorme mesa y lo soltó con un pequeño golpe.

«Ahí está tu transporte», dijo el Mago de las Nieves.

«¡Pero esa es tu tetera!», contestó Mr. Navidad desconcertado.

«Seguro que has oído hablar de los platillos volantes», se rio. «Bien, ¡aquí tienes la primera tetera voladora del mundo!»

«Cielos», dijo Mr. Navidad. «¿Cómo funciona?»

«Bolsitas de té», fue la atronadora respuesta. «He puesto un motor en el pitorro. Todo lo que tienes que hacer es rellenarla cada mil kilómetros, ¡y podrás volar a tres veces la velocidad del sonido!»

Llevaron la tetera voladora fuera del castillo, y Mr. Navidad pulsó el botón de encendido con gran excitación.

Pasaron zumbando alrededor del Polo Sur en muy poco tiempo, y aterrizaron a salvo en la parte trasera del castillo.

«¿Y bien?», preguntó el Mago de las Nieves.

«¡Extraordinariamente fabuloso!», exclamó Mr. Navidad, encantado con el invento.

Esa noche, Mr. Navidad se sentó e hizo una lista de los regalos de Navidad para todos los Mr. Men.

Era una larga lista.

Una lista muy larga.

¡No terminó hasta las tres de la madrugada!

Mr. Navidad pasó la siguiente semana y media envolviendo los regalos, y antes de darse cuenta, el veinticuatro de diciembre había llegado.

¡Nochebuena!

«Va a ser un día largo», pensó para sí mismo mientras metía todos los coloridos paquetes en su tetera voladora.

Estaba nevando suavemente cuando despegó del Polo Sur.

Fue, en efecto, un día muy largo, y una noche muy larga.

El sol estaba despuntando sobre el horizonte cuando entregó el último de los regalos a Mr. Silencioso.

Mr. Navidad estaba exhausto.

Amaneció el día de Navidad, y todo el mundo empezó a abrir sus regalos.

A las siete de la mañana, Mr. Quisquilloso abrió su regalo. Encontró trescientos sesenta y cinco paños amarillos. ¡Uno para cada día del año!

A las siete y cinco, Mr. Pequeño abrió su regalo. Un caramelo de plátano, envuelto en un bonito papel. ¡Un verdadero festín!

A las siete y diez, Mr. Glotón desempaquetó su regalo. Un libro de cocina titulado *Las Mil y Una Delicias*. ¡Mr. Glotón se frotaba el vientre de satisfacción!

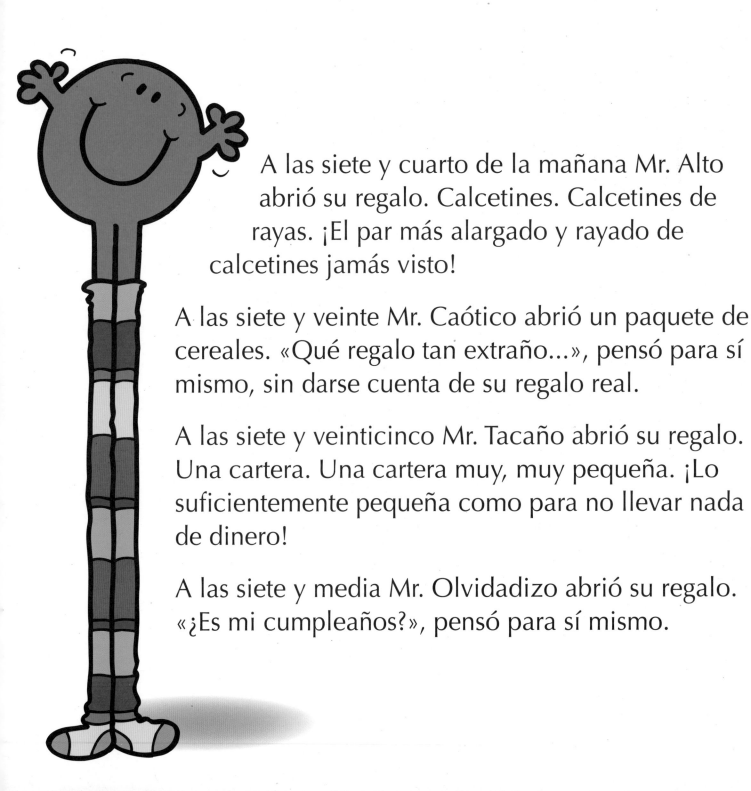

A las siete y cuarto de la mañana Mr. Alto abrió su regalo. Calcetines. Calcetines de rayas. ¡El par más alargado y rayado de calcetines jamás visto!

A las siete y veinte Mr. Caótico abrió un paquete de cereales. «Qué regalo tan extraño...», pensó para sí mismo, sin darse cuenta de su regalo real.

A las siete y veinticinco Mr. Tacaño abrió su regalo. Una cartera. Una cartera muy, muy pequeña. ¡Lo suficientemente pequeña como para no llevar nada de dinero!

A las siete y media Mr. Olvidadizo abrió su regalo. «¿Es mi cumpleaños?», pensó para sí mismo.

A las ocho menos veinte, Mr. Charlatán abrió su regalo.

Un diccionario.

«Es muy muy muy muy muy muy muy muy útil», murmuró.

A las ocho menos cuarto Mr. Al Revés abrió su regalo.
Un cuadro.

«Qué bonito», dijo mientras lo colgaba en la pared.

¡Pero al revés!

A las ocho menos diez, Mr. Engreído abrió su regalo.

Un regalo para un hombre que lo tenía todo.

¡Un rascador bañado en oro!

A las ocho menos cinco Mr. Divertido abrió su regalo.

Un libro de chistes de *toc toc*.

¡*Toc-toc*! ¿Quién es? Ya sabes, esa clase de cosas.

Y a las ocho en punto exactamente, Mr. Disparate abrió su regalo.

Un chisme eléctrico, automático, instantáneo, digital e informatizado.

¿Que qué es un chisme eléctrico, automático, instantáneo, digital e informatizado?

¡Ni idea!

Justo después de las ocho en punto de esa mañana de Navidad, sonó el teléfono.

«Hola», retumbó una voz.

«Hola», respondió Mr. Navidad. «¡Feliz Navidad!»

«Ese soy yo», rio Papá Noel.

«Y feliz Navidad para ti también.»

«Y ese soy yo también», contestó riendo Mr. Navidad.

«¿Cómo ha ido?», preguntó Papá Noel.

«Acabo de regresar», dijo.

«Yo también», suspiró Papá Noel con cansancio. «He tenido un pequeño problema en Francia», añadió. «Me quedé atascado en una chimenea».

«Son todas esas tartaletas de fruta», rio Mr. Navidad.

Y ese es el final de la historia.

Bueno.

Casi.

No del todo.

A las cinco en punto de la tarde Mr. Lento por fin se las apañó para abrir su regalo.

Las cinco en punto, marcaba el reloj.

¿Y el día?

¡Nochevieja!